D1361483

Les recettes des petits gourmands

imaginées, illustrées par Ève Tharlet

et dégustées par Jean-Pierre Corderoc'h

Editions Lito

Les recettes des petits gourmands

Les petites boules aux amandes

pour une trentaine de petites boules :

15 boudoirs
60 g d'amandes en poudre
2 cuillerées à soupe d'amandes en poudre
60 g de sucre glace
le blanc d'un gros œuf
100 g de fruits confits en morceaux

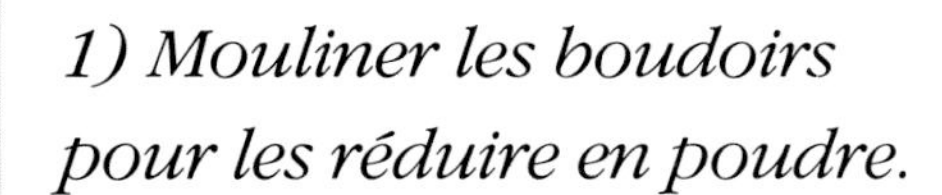

1) Mouliner les boudoirs pour les réduire en poudre.

2) Dans un saladier, mettre les boudoirs, les 60 g d'amandes en poudre, le sucre glace et le blanc d'œuf.

3) Mélanger avec une cuillère en bois, puis bien pétrir avec les mains tout en ajoutant les fruits confits. Se laver les mains.

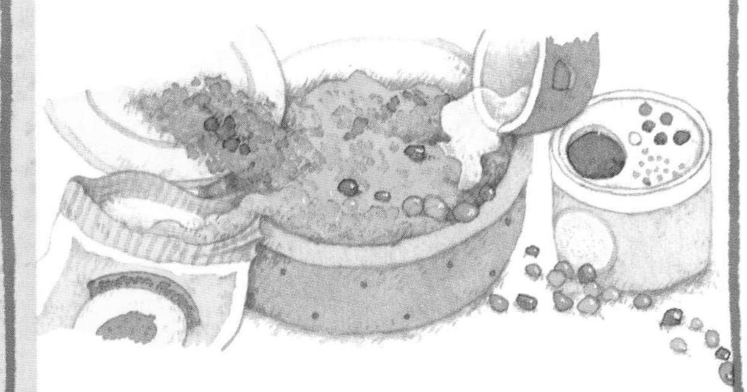

4) Mettre les 2 cuillerées d'amandes en poudre dans une assiette plate.

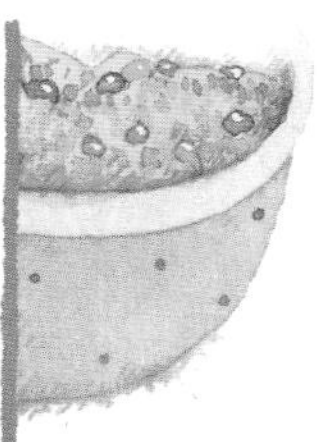

5) Avec les doigts, prendre un peu de mélange aux amandes et former des boules de la taille de petites noix.

6) Les rouler au fur et à mesure dans les 2 cuillerées d'amandes en poudre...

7) ... et les ranger joliment dans de petites coupes.

8) Les laisser 2 heures au réfrigérateur avant de les déguster.

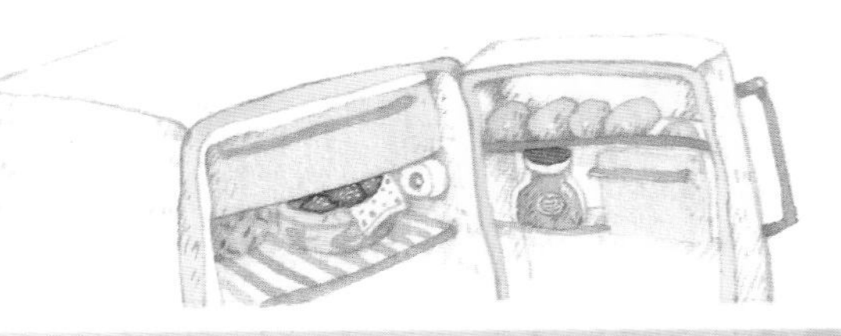

Les rochers de janvier

pour 20 rochers il faut :

125 g d'amandes, de noisettes et de noix grossièrement hachées
250 g de chocolat noir
un peu de beurre
une feuille d'aluminium
20 petits godets en papier

1) Allumer le four à 200°
(thermostat 6).

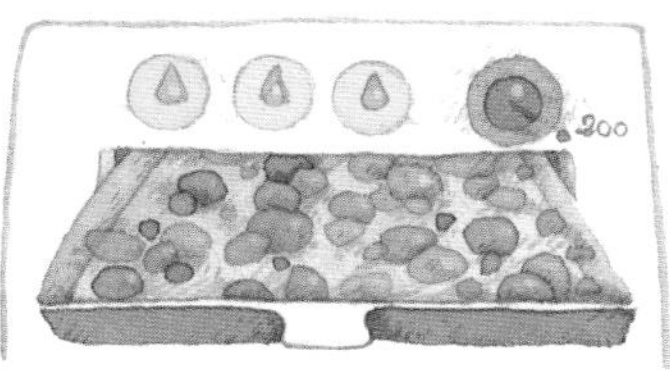

2) Poser les fruits hachés sur une plaque. Mettre au four quelques minutes pour qu'ils soient bien dorés.

3) Mettre un peu d'eau dans une grande casserole et la faire bouillir sur le feu.

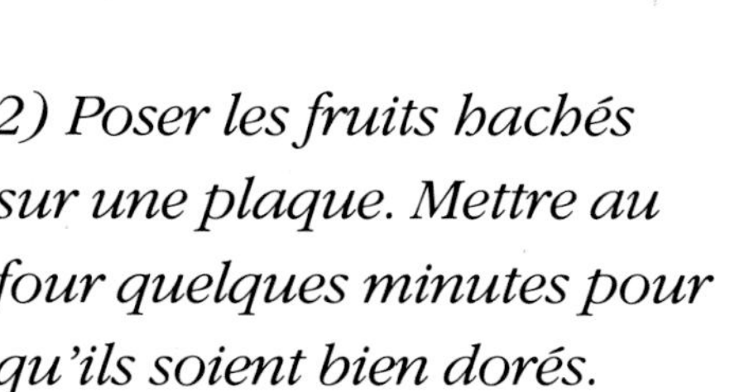

4) Casser tout le chocolat en morceaux dans une petite casserole et la poser avec précaution dans la grande casserole, dans l'eau qui bout.

5) Baisser le feu et laisser fondre doucement le chocolat, puis ôter la petite casserole.

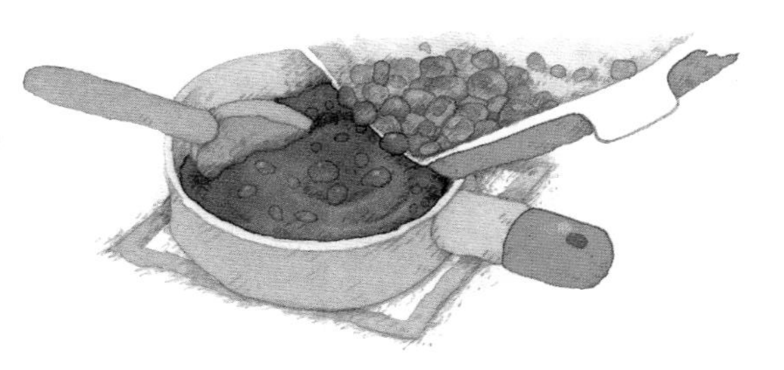

6) Brasser le chocolat fondu.

7) Y ajouter les fruits hachés.

8) Beurrer la feuille d'aluminium et, avec 2 cuillères à café, y déposer le mélange en 20 petits tas.

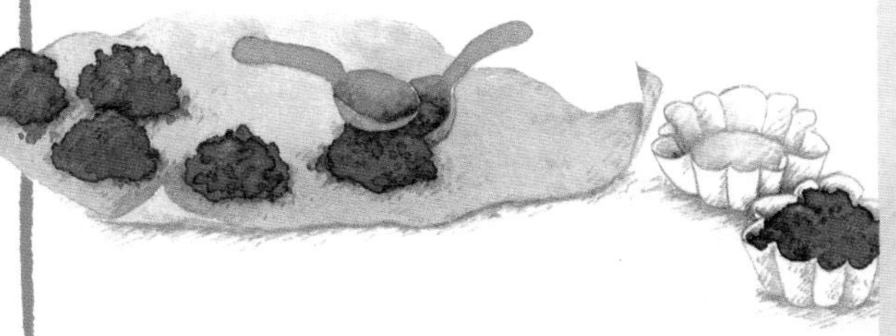

9) Quand ils sont froids, ranger chacun des rochers dans un godet en papier. C'est prêt !

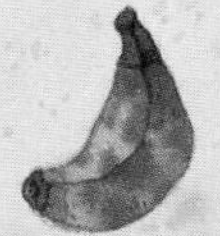

Les filets crus

pour 4 personnes
et à faire 6 heures à l'avance :

400 g de filets de poisson (colin, merlan ou cabillaud...)
sel et poivre
3 jus de citron pour le poisson
et 1 jus de citron pour l'avocat
2 œufs durs
2 tomates
1 avocat
1 cuillerée à soupe de crème fraîche

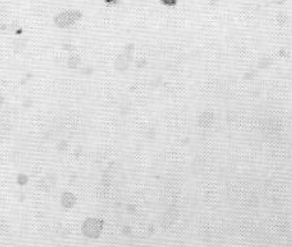

1) Couper les filets de poisson en gros dés.

2) Les placer dans un plat creux.

3) Verser les 3 jus de citron sur les dés de poisson.
Il faut qu'ils soient recouverts.

4) Le poisson doit macérer 5 à 6 heures pour être « cuit ».

5) Après ce temps, écaler les œufs durs et les écraser grossièrement à la fourchette.

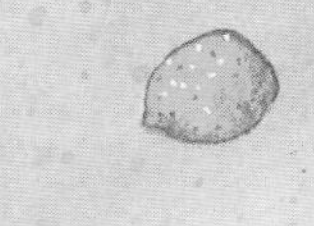

6) Couper l'avocat en 2, le peler, ôter le noyau et tailler la chair en cubes. Arroser de citron.

7) Couper aussi les tomates en tranches.

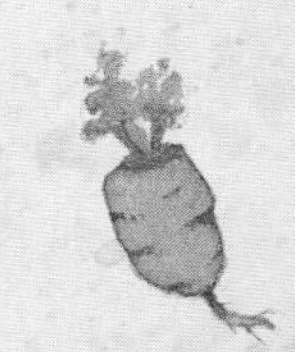

8) Égoutter le poisson. Le saler et le poivrer.

9) Le servir sur un plat, entouré des œufs, avocat et tomates préparés et décorer de crème fraîche.

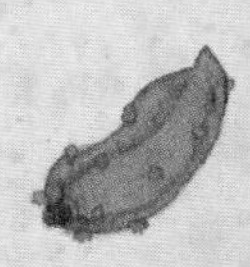

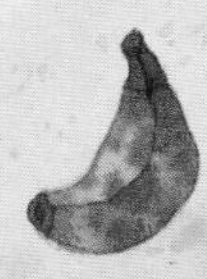
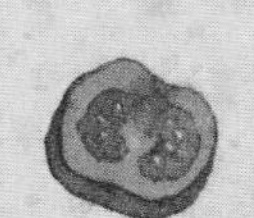

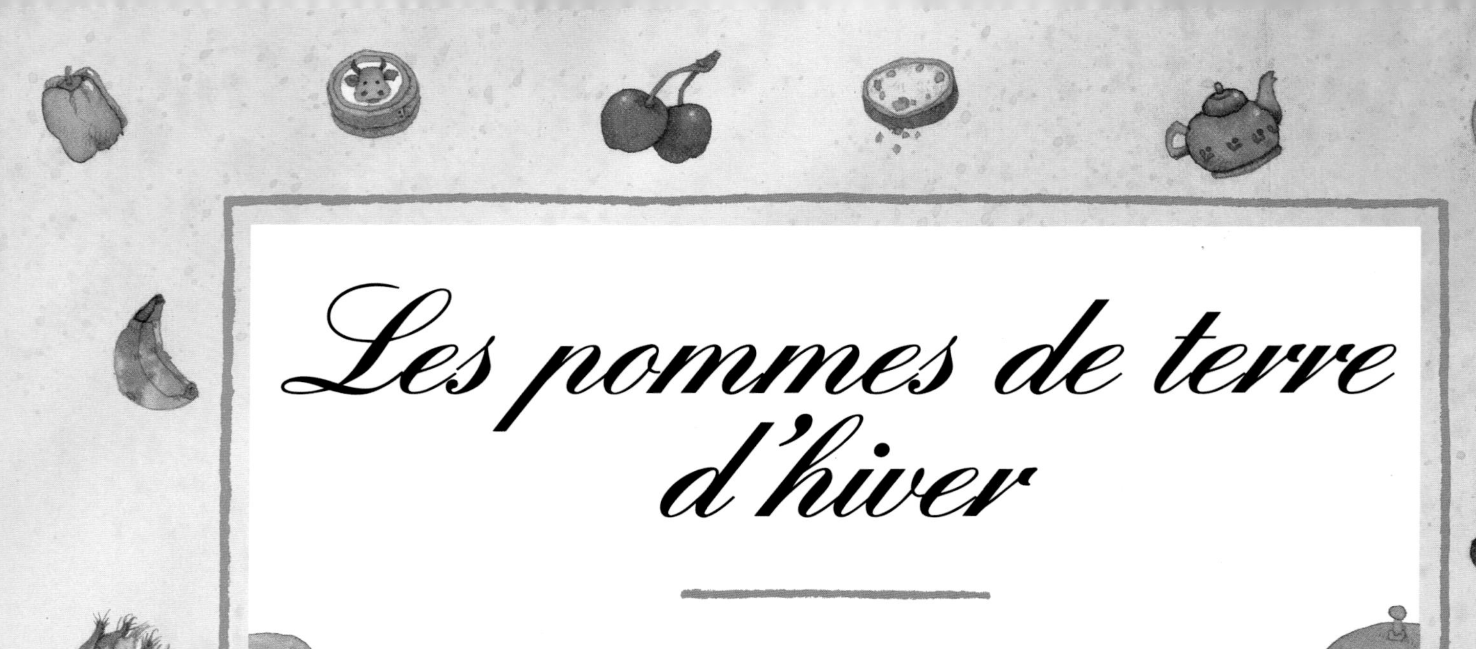

Les pommes de terre d'hiver

pour 4 personnes :

4 grosses pommes de terre lavées
1 tranche un peu épaisse de jambon blanc
30 g de beurre ramolli
du sel et du poivre
100 g de gruyère râpé
une cocotte minute et un plat à gratin

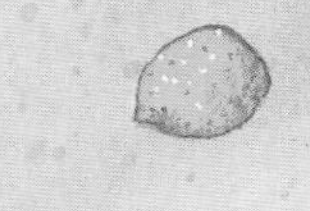

1) Piquer à la fourchette les pommes de terre non épluchées.

2) Les cuire dans la cocotte minute pendant 8 à 10 minutes environ.

3) Pendant ce temps, tailler le jambon en petits cubes.

4) Quand les pommes de terre sont cuites, les laisser un peu refroidir et ôter une petite tranche dans le sens de la longueur.

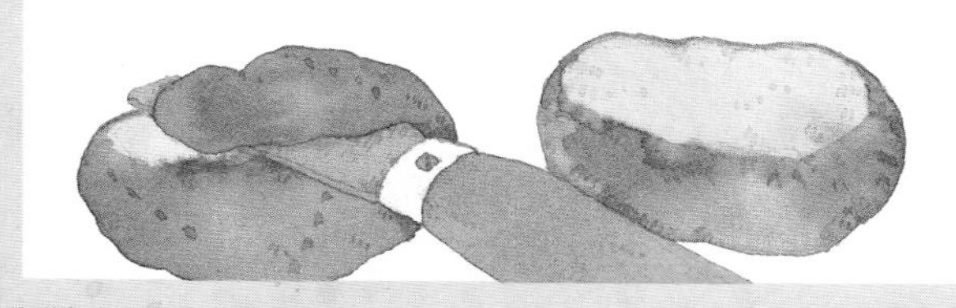

5) Les creuser en retirant un peu de chair à la petite cuillère.

6) Mettre cette chair, les dés de jambon, le beurre, le sel et le poivre dans un saladier. Écraser un peu cette farce à la fourchette.

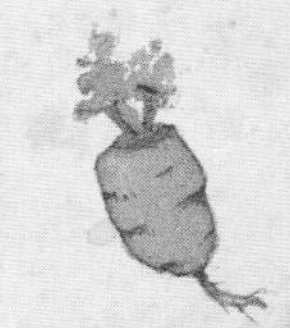

7) Poser les pommes de terre dans un plat à gratin et les remplir de farce.

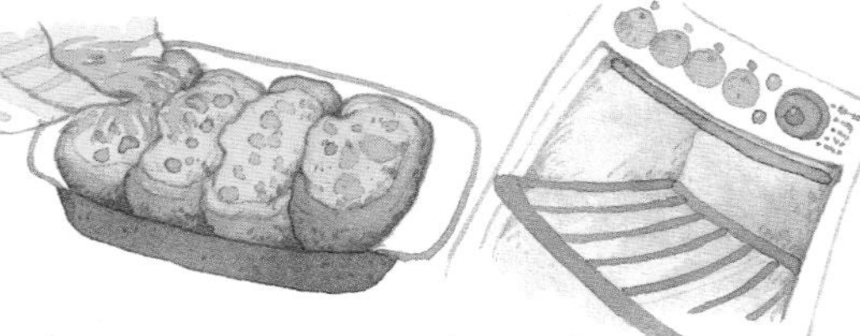

8) Bien saupoudrer de gruyère râpé et passer sous le gril pendant 10 minutes. Bon appétit !

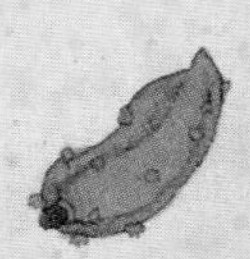

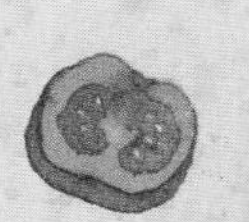

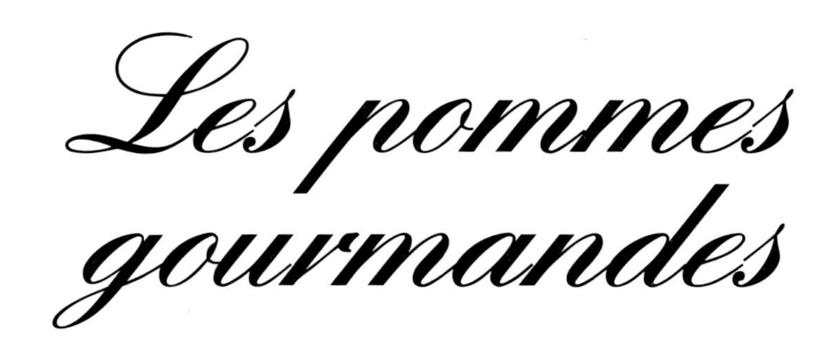

Les pommes gourmandes

pour 4 gourmands :

4 belles pommes
5 biscuits à la cuiller
50 g d'amandes en poudre
40 g de chocolat noir
4 cuillerées à soupe de sucre roux
du beurre
un peu de crème Chantilly
un moule rond d'environ 15 cm de diamètre

1) Peler les pommes, les couper en 4, ôter le cœur et tailler en grosses tranches.

2) Allumer le four à 170° (thermostat 3).

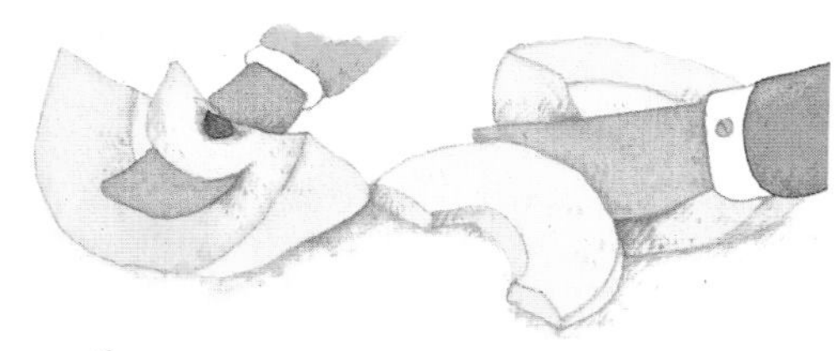

3) Émietter les biscuits au-dessus d'un saladier.

4) Y râper le chocolat sur une grosse râpe...

5) ... et ajouter les amandes en poudre et 3 cuillerées à soupe de sucre. Mélanger le tout.

6) Beurrer le moule.

7) Poser au fond la moitié des pommes, puis, dessus, la moitié du mélange aux biscuits, un peu de beurre, le reste des pommes, le reste du mélange, une cuillerée à soupe de sucre et encore du beurre.

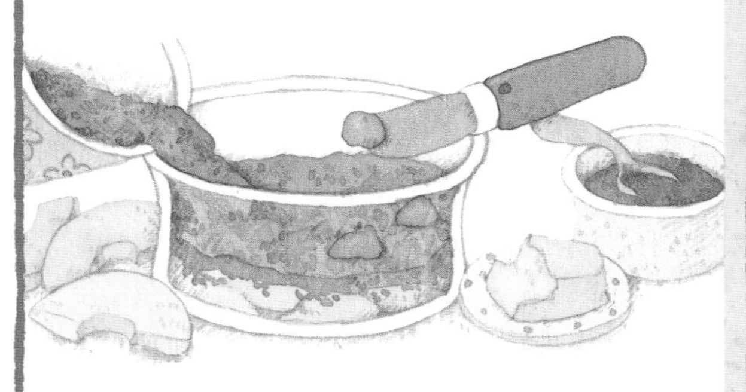

8) Glisser le moule dans le four pendant 25 à 30 minutes.

9) Servir dans leur moule les pommes gourmandes, chaudes ou refroidies, et décorées de miettes de chocolat et d'un peu de chantilly.

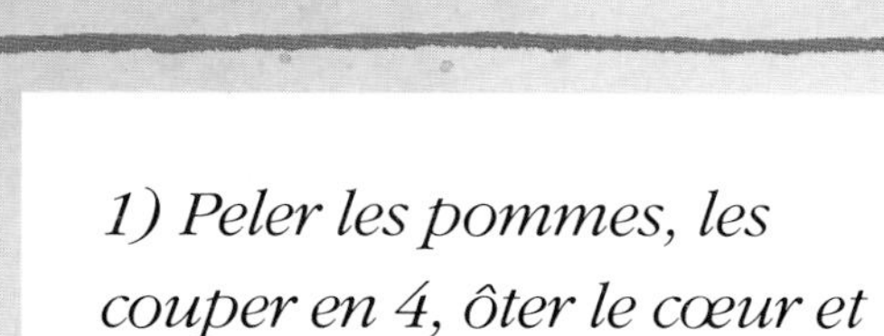

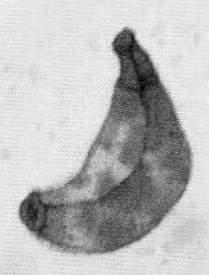

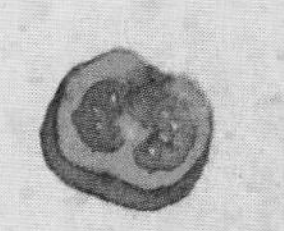

La tarte à la mangue

pour 4 personnes :

1 grande boîte de mangues au sirop
150 g de biscuits à la noix de coco
60 g de sucre
50 g de beurre
2 cuillerées à soupe de lait
2 dl de crème fraîche allégée
2 cuillerées à soupe de sucre
1 moule rond de 20 cm de diamètre

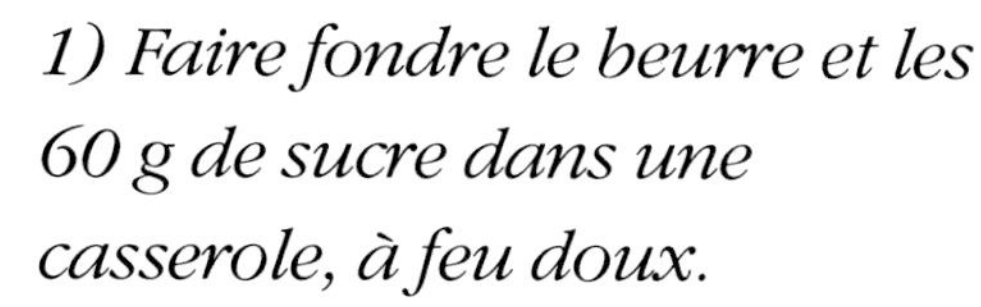

1) Faire fondre le beurre et les 60 g de sucre dans une casserole, à feu doux.

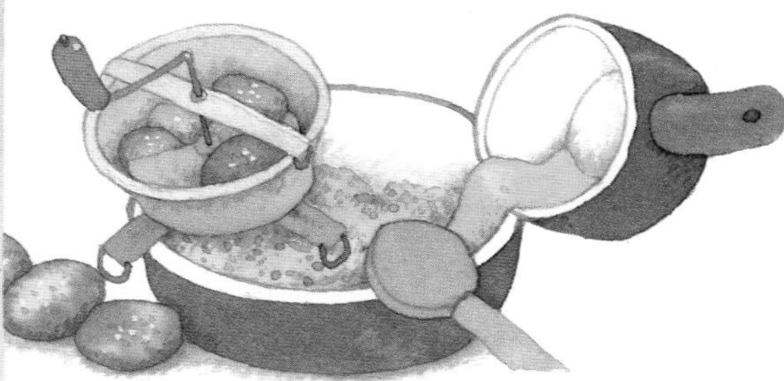

2) Passer les biscuits à la moulinette au-dessus d'une jatte pour obtenir une poudre. En mettre 2 cuillerées à soupe de côté.

3) Ajouter le beurre sucré fondu et le lait dans la jatte. Bien mélanger.

4) Verser cette pâte dans le moule et bien l'aplatir avec le dos d'une cuillère. Mettre le moule au réfrigérateur.

5) Au bout de 3 heures, ouvrir la boîte de mangues et verser le jus dans une cruche. Si les morceaux sont grands, les couper en lamelles.

6) Retirer le moule du froid et disposer les fruits dessus.

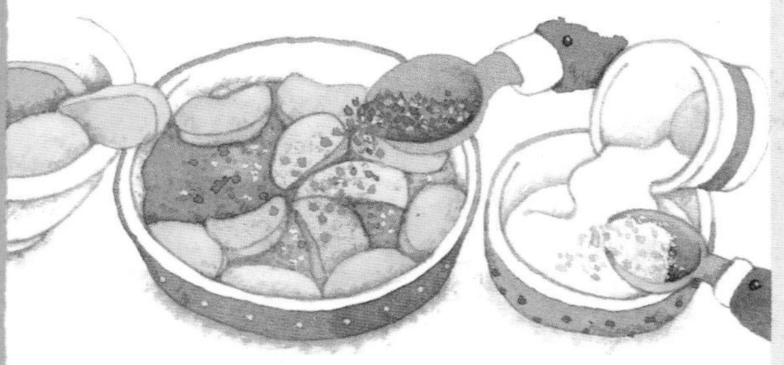

7) Saupoudrer la tarte avec les 2 cuillerées de poudre de biscuits qui restent.

8) Servir la tarte avec un bol de crème fraîche sucrée avec les 2 cuillerées à soupe de sucre et le jus à boire.

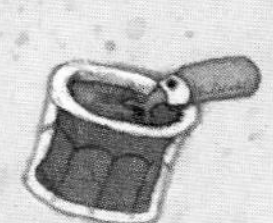

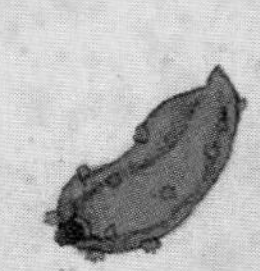

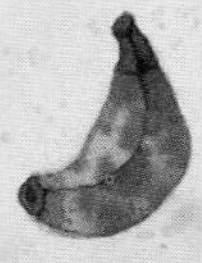

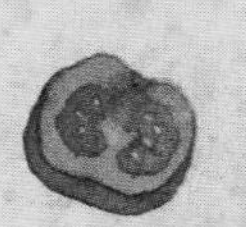

Les tagliatelles aux fruits de mer

pour 4 personnes :

250 g de tagliatelles
1 bocal de moules au naturel
1 petite boîte de crevettes
1/2 verre de lait
2 dl de crème fraîche épaisse allégée
du sel, du poivre
1 jaune d'œuf

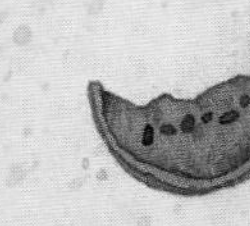

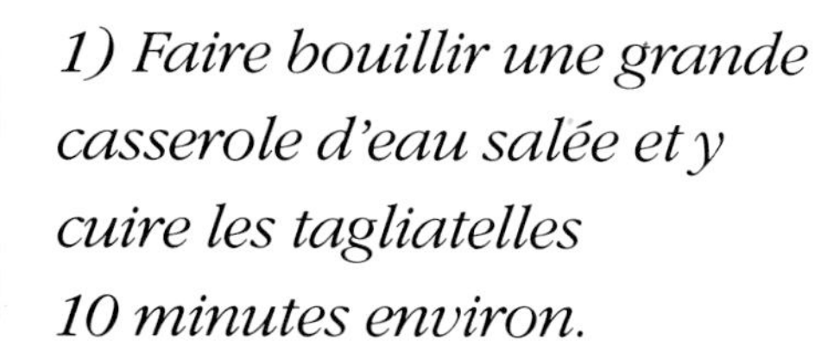

1) Faire bouillir une grande casserole d'eau salée et y cuire les tagliatelles 10 minutes environ.

2) Pendant ce temps, verser le lait dans une cocotte en fonte posée sur feu doux ; y mélanger la crème, du sel et du poivre.

3) Ouvrir le bocal de moules et la boîte de crevettes. Les égoutter...

4) ... et ajouter les moules et les crevettes dans la sauce. Bien mélanger.

5) Quand les pâtes sont cuites, les égoutter et les verser dans la cocotte. Remuer encore.

6) Retirer la cocotte du feu et la poser sur un dessous de plat.

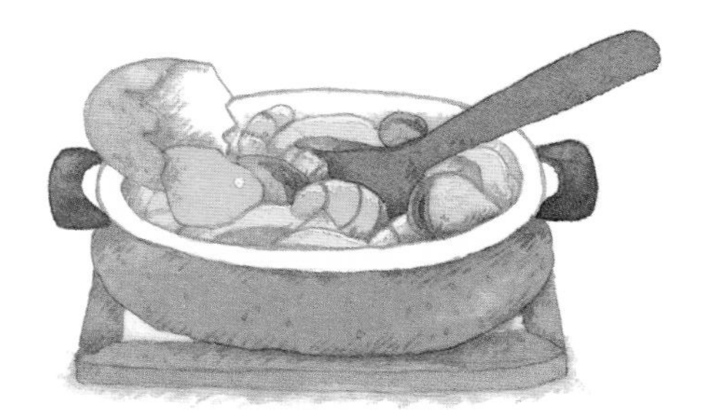

7) Ajouter le jaune d'œuf et mélanger énergiquement.

8) Servir les tagliatelles aux fruits de mer immédiatement.

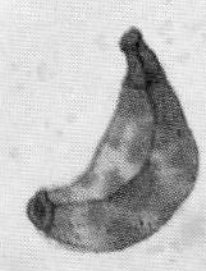
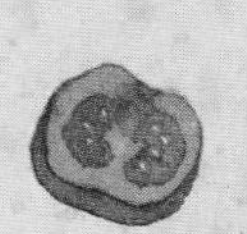

Le nid aux œufs

pour 6 convives :

6 œufs
3 oignons
1 bocal de germes de soja
2 carottes
de la mayonnaise en tube

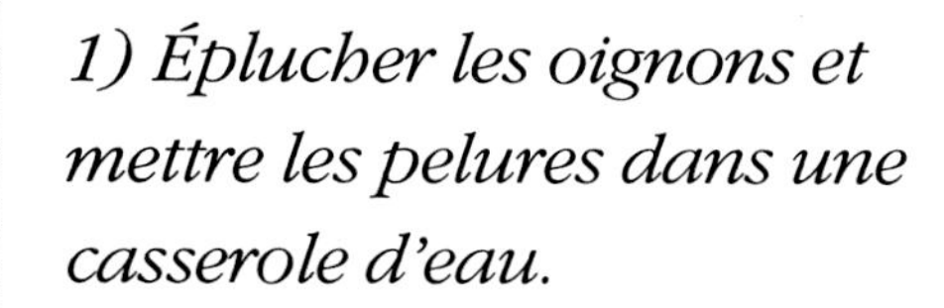

1) Éplucher les oignons et mettre les pelures dans une casserole d'eau.

2) Poser la casserole sur le feu pour que l'eau bouille et prenne la couleur dorée des pelures.

3) Plonger les œufs dans l'eau.

4) Les laisser cuire 8 minutes. Pendant ce temps, éplucher et râper les carottes.

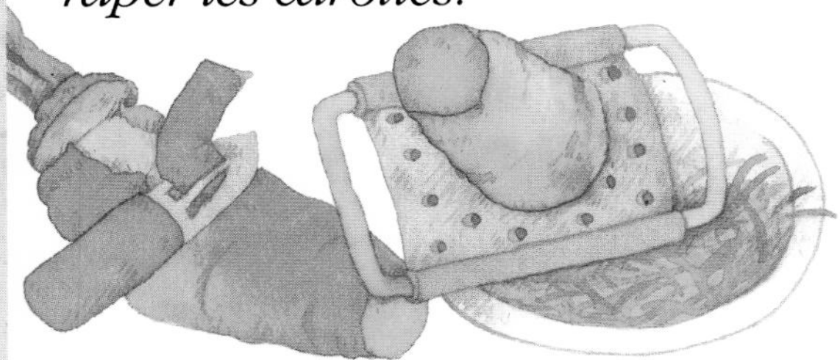

5) Retirer les œufs sans jeter l'eau de la casserole. Passer les œufs à l'eau froide et les écaler.

6) Les remettre 4 minutes dans l'eau dorée bouillante, puis les retirer.

7) Égoutter et rincer les germes de soja. Les mélanger aux carottes râpées.

8) Poser ce mélange sur une assiette pour faire le nid et placer dessus les œufs durs. Décorer avec un peu de mayonnaise.

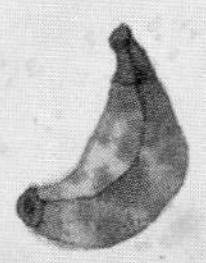
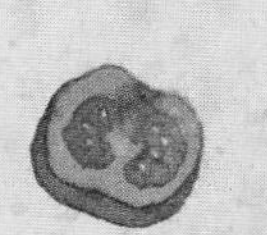

La salade au melon

pour 4 personnes :

2 petits melons mûrs
2 petites tomates fermes, lavées
1 demi-banane
1 morceau de concombre
quelques feuilles de laitue pommée, lavées
1 petite poignée de raisins secs
4 cuillerées à soupe de vinaigrette toute prête
4 tranches de jambon

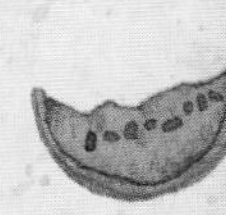

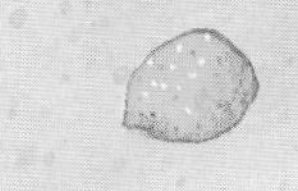
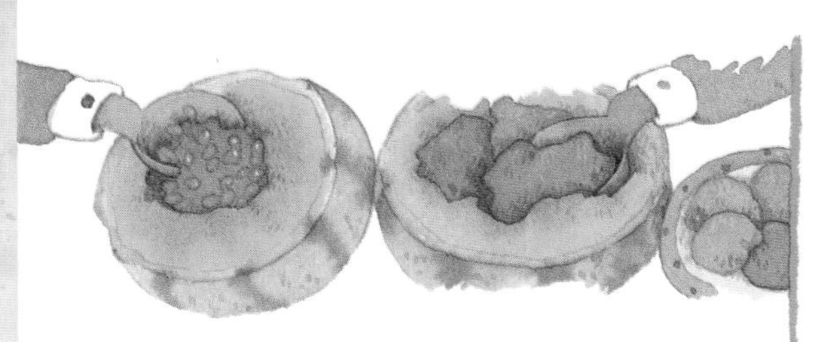

1) Couper les melons en 2, ôter les graines et mettre la chair de côté.

2) Au-dessus d'un saladier, couper la chair des melons en dés et les tomates, concombre, banane en fines rondelles.

3) Tailler les feuilles de laitue en lanières.

4) Verser la vinaigrette dans le saladier et bien mélanger.

5) Faire tremper les raisins secs dans de l'eau tiède.

6) Répartir la salade dans les 4 moitiés de melon.

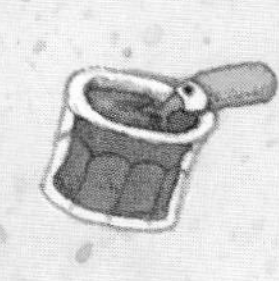

7) Égoutter les raisins secs et décorer les melons avec.

8) Servir aussitôt avec le jambon en accompagnement. Quand il fait chaud, c'est très frais.

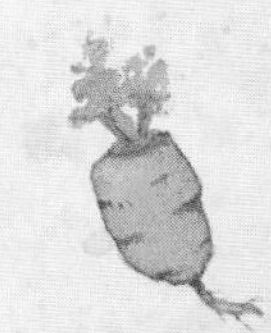

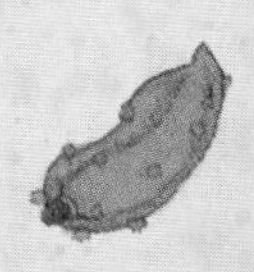

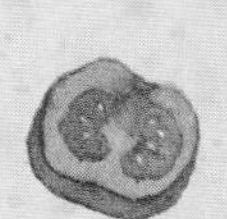

Les poissons en habit rouge

pour 4 personnes :

4 filets de poisson (merlan, carrelet...)
1 grosse boîte de tomates pelées
1 oignon pelé et haché grossièrement
3 cuillerées à soupe de farine
1/2 cuillerée à café de sucre
du sel, du poivre
de l'huile d'olive
du thym

1) Faire chauffer une poêle avec 2 cuillerées à soupe d'huile et y faire frire l'oignon à feu doux 5 minutes.

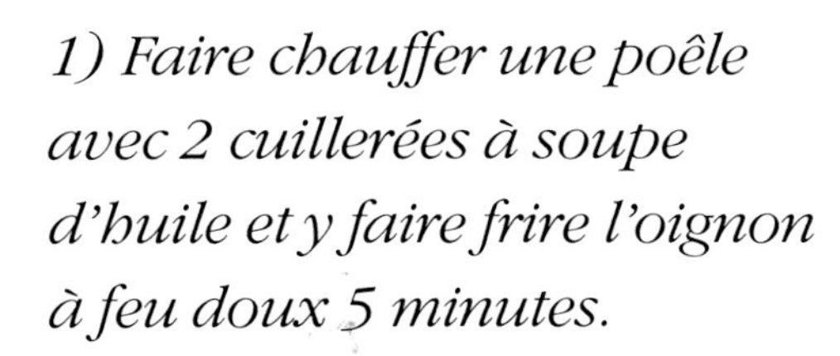

2) Ouvrir la boîte de tomates, la vider dans une assiette creuse et écraser un peu les tomates à la fourchette.

3) Puis verser le tout dans la poêle avec 1/2 cuillerée à café de sucre, du sel et du poivre.

4) Laisser cuire 20 minutes à feu vif en remuant de temps en temps.

5) En attendant, mettre la farine sur une assiette et y passer les filets, des 2 côtés.

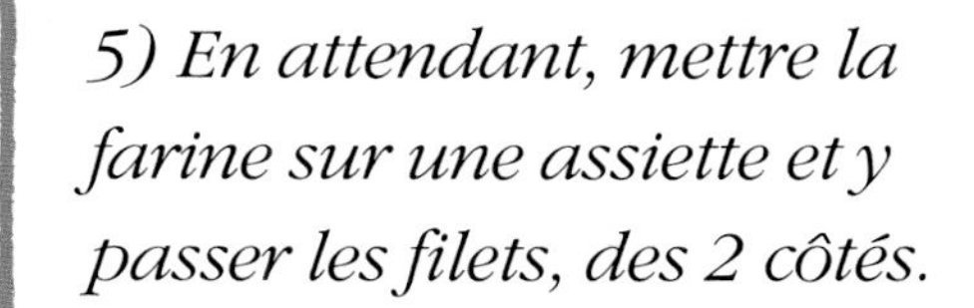

6) Dans une autre poêle, faire chauffer 3 cuillerées à soupe d'huile et y dorer le poisson, 2 minutes de chaque côté ; saler et poivrer.

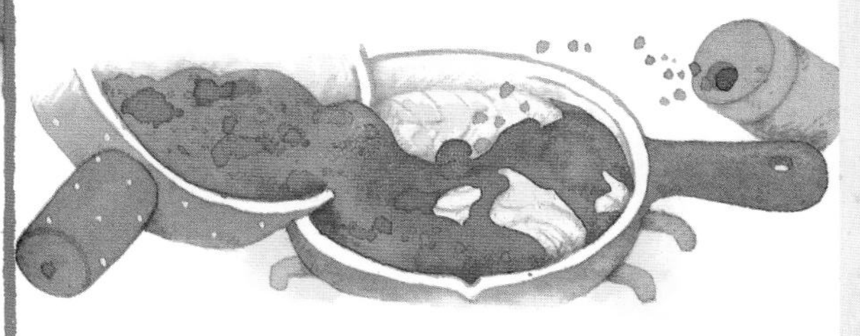

7) Verser la sauce aux tomates sur le poisson, faire cuire encore 10 minutes doucement.

8) Servir le plat bien chaud, saupoudré de thym.

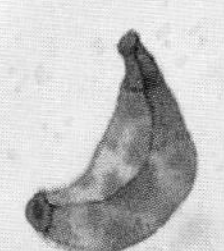

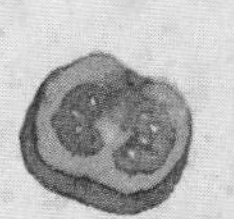

Le gâteau au fromage blanc

pour 6 personnes et à faire la veille :

300 g de fromage blanc non battu
2 dl de crème fraîche froide
100 g de sucre en poudre
100 g de fruits confits en cubes
quelques cerises confites
175 g de petits-beurre
100 g de beurre bien mou
un joli moule rond de 20 cm de diamètre

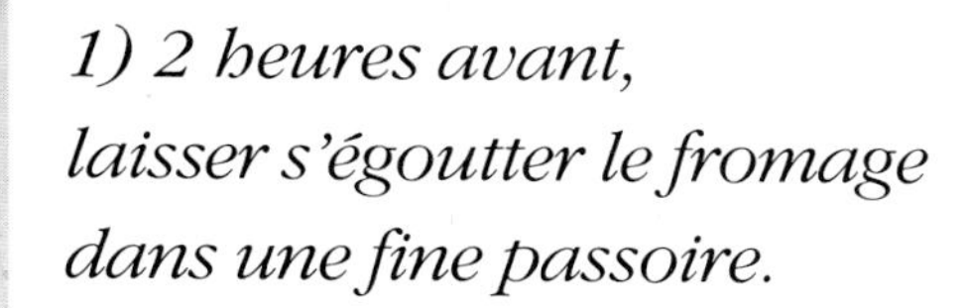

1) 2 heures avant,
laisser s'égoutter le fromage
dans une fine passoire.

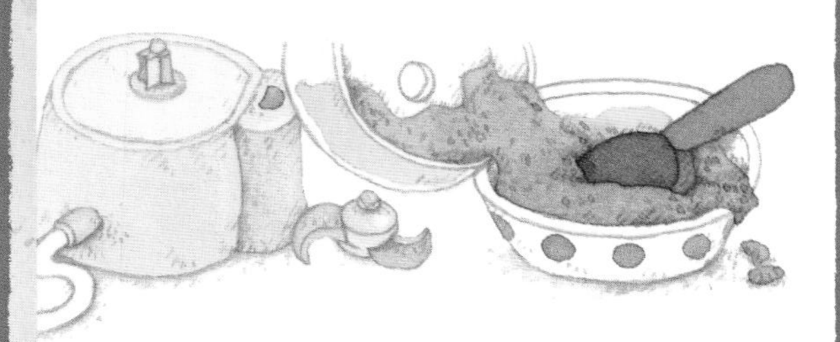

2) Moudre tous les petits-beurre à la moulinette électrique.

3) Mélanger cette poudre au beurre. On obtient une pâte granuleuse.

4) En tapisser le fond et les bords du moule, que l'on met au réfrigérateur.

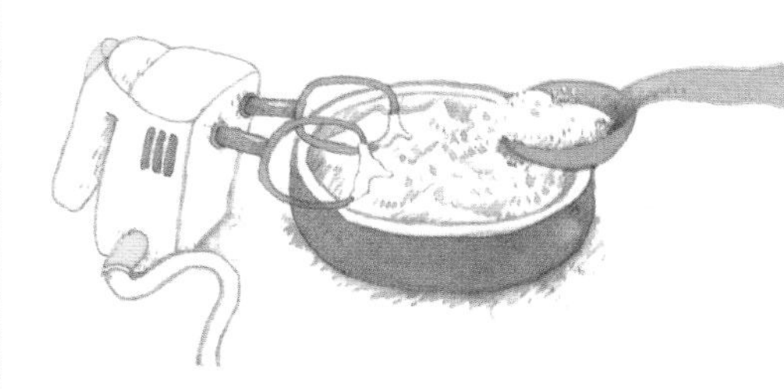

5) Battre la crème en chantilly ; la sucrer au fur et à mesure.

6) Mélanger le fromage égoutté, les fruits confits et la chantilly (sauf 2 cuillerées, pour le décor).

7) Sortir le moule du réfrigérateur.

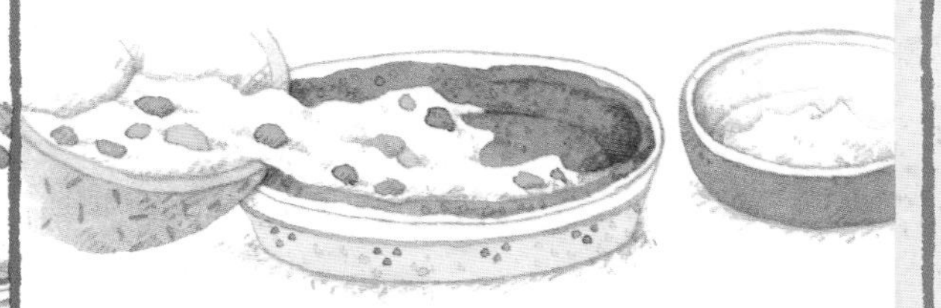

8) Y étaler le mélange et remettre au froid avec le reste de chantilly à part.

9) Le lendemain, décorer le gâteau avec le reste de chantilly et quelques cerises confites coupées en deux.

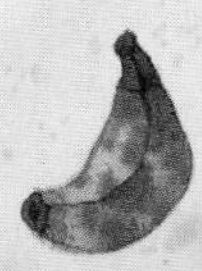
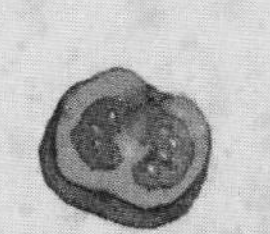

Les coupes glacées

pour 4 personnes :

1/2 litre de glace à la vanille toute prête
1 petite boîte de pêches au sirop
3 kiwis mûrs
8 biscuits à la cuiller
3 cuillerées à soupe de gelée de groseilles
diluée dans un peu d'eau
1 cuillère à glace
4 belles coupes

1) *Sortir la glace du froid pour qu'elle ramollisse un peu.*

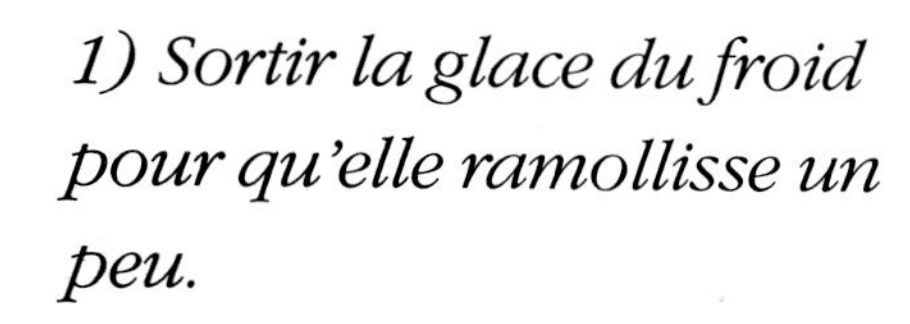

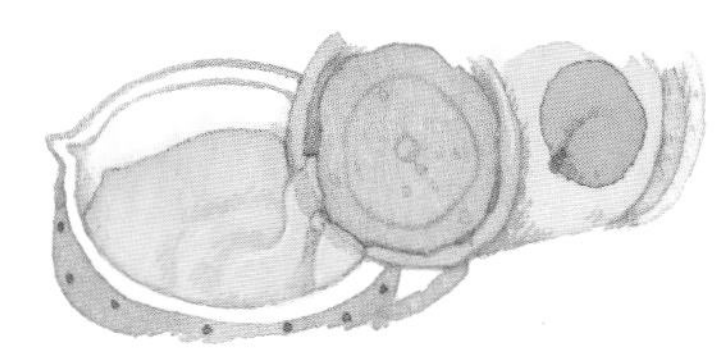

2) *Ouvrir la boîte de pêches ; égoutter au-dessus d'un bol pour garder le jus.*

3) *Couper les biscuits en gros morceaux et les répartir au fond des 4 coupes.*

4) *Verser un peu de jus dessus.*

5) *Éplucher les kiwis et les couper en rondelles sur une assiette.*

6) *Déposer 1/2 pêche sur chaque biscuit, le côté bombé en dessous.*

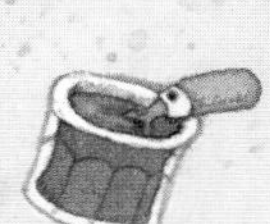

7) *Couvrir chaque 1/2 pêche avec 2 boules de glace...*

8) *... et disposer tout autour les rondelles de kiwis.*

9) *Laisser couler un peu de gelée de groseilles sur la glace, et servir tout de suite.*

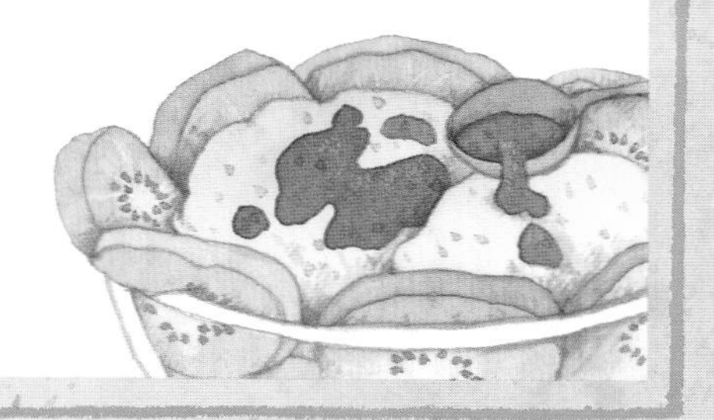

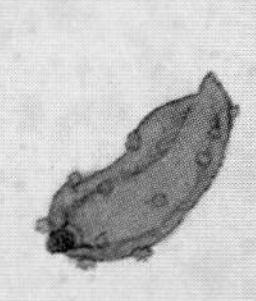

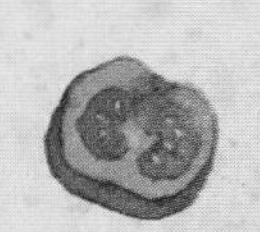

Les pêches en saladier

pour 4 à 5 personnes :

1 grande boîte de pêches au sirop
le jus d'un citron
6 cuillerées à soupe rases de sucre
500 g de fromage blanc maigre
3 cuillerées à soupe de crème fraîche allégée
1 ou 3 cerises confites
2 belles feuilles de menthe fraîche

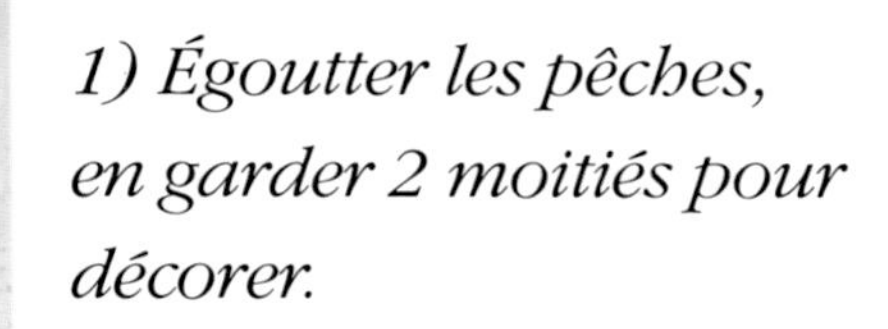

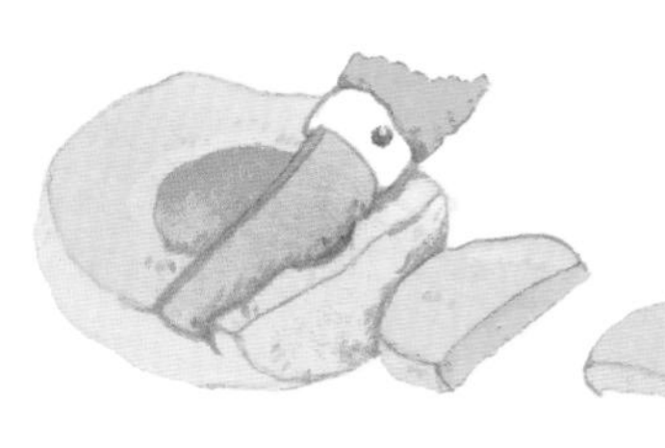

1) Égoutter les pêches, en garder 2 moitiés pour décorer.

2) Passer les pêches au mixeur avec le jus de citron pour obtenir une purée.

3) Ajouter le sucre, puis le fromage blanc, la crème fraîche, et mélanger.

4) Verser le mélange dans un joli saladier.

5) Couper en tranches les 2 moitiés de pêches restantes...

6) ... et les disposer en pétales de fleur sur le dessert.

7) Placer les cerises confites au centre de la fleur et les feuilles de menthe au-dessous.

8) Mettre le saladier de pêches au frais avant de servir.

Les rouleaux au fromage

pour 25 tranches roulées environ :

1/2 pain de mie carré rassis de la veille
1 boîte de fromage qui se tartine bien
quelques raisins secs gonflés dans l'eau chaude
quelques noisettes en miettes
du papier d'aluminium
un couteau-scie

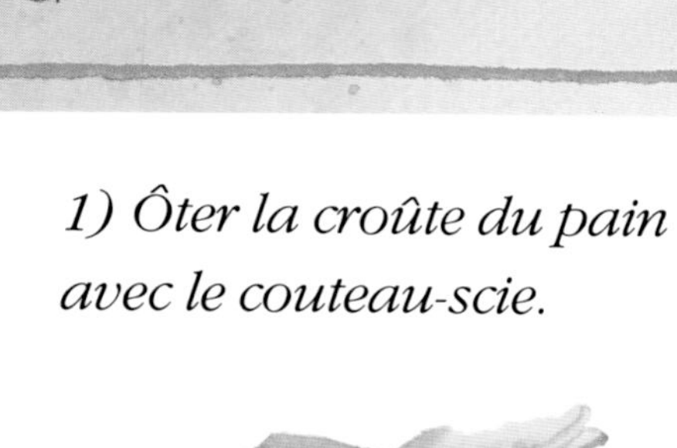

1) Ôter la croûte du pain avec le couteau-scie.

2) Tailler le pain en tranches assez fines dans le sens de la longueur.

3) Tartiner les tranches avec le fromage et saupoudrer de raisins ou de miettes de noisettes.

4) Enrouler les tranches tartinées en rouleaux.

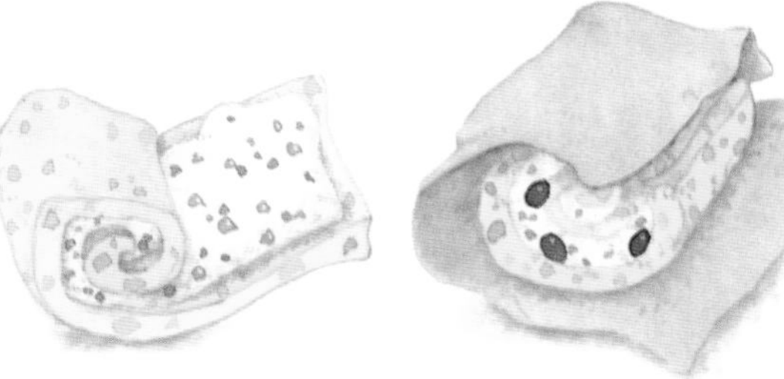

5) Envelopper chaque rouleau dans de l'aluminium et mettre les rouleaux au réfrigérateur pendant au moins 6 heures...

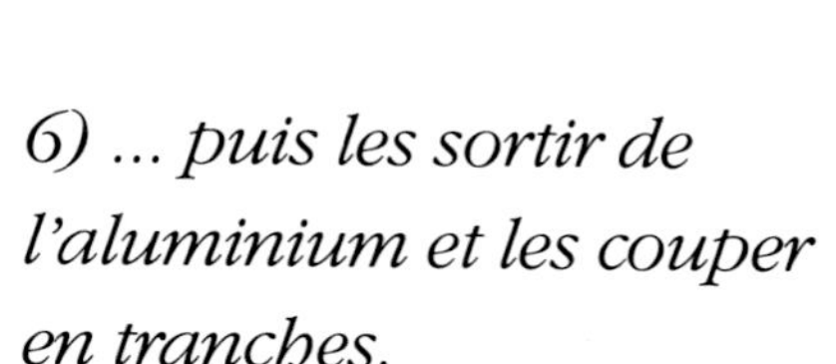

6) ... puis les sortir de l'aluminium et les couper en tranches.

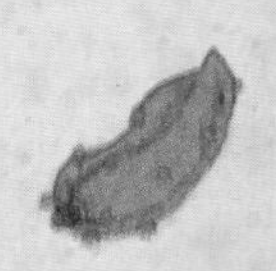

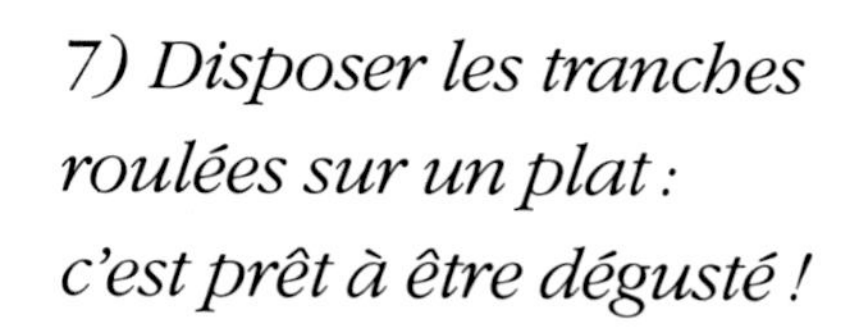

7) Disposer les tranches roulées sur un plat : c'est prêt à être dégusté !

Les roses croquantes

pour 5 gourmands :

100 g de margarine
100 g de chocolat noir
50 g de sucre glace
70 g de corn flakes
du papier d'aluminium

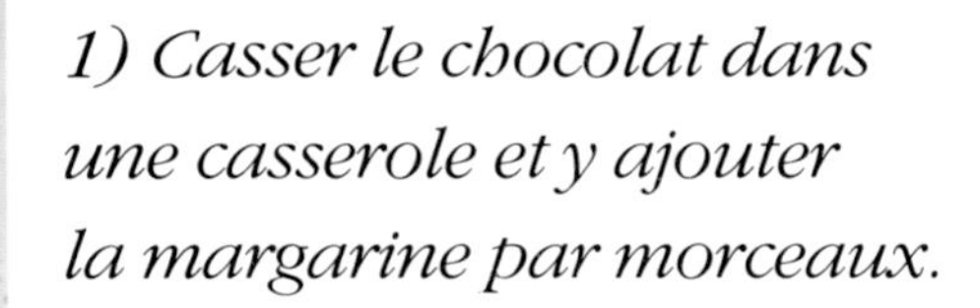

1) Casser le chocolat dans une casserole et y ajouter la margarine par morceaux.

2) Poser la casserole sur feu doux pour faire fondre le chocolat.

3) Quand le chocolat est fondu, ajouter le sucre glace et mélanger avec une cuillère en bois.

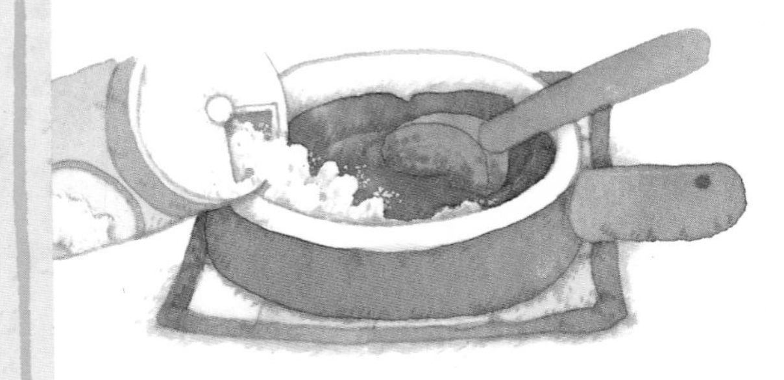

4) Placer les corn flakes dans un saladier et verser le chocolat dessus.

5) Mélanger avec précaution à la cuillère.

6) Prendre un grand plat et étaler dessus le papier d'aluminium.

7) À l'aide de 2 cuillères, déposer des petits tas du mélange sur l'aluminium, en les espaçant.

8) Mettre les « roses » 1 heure au réfrigérateur avant de les croquer !

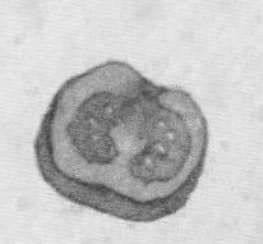

La glace à la banane

pour 5 personnes
et à faire 6 heures à l'avance :

7 bananes bien mûres
2 citrons
6 cuillerées à soupe de sucre en poudre
6 cuillerées à soupe de lait concentré non sucré

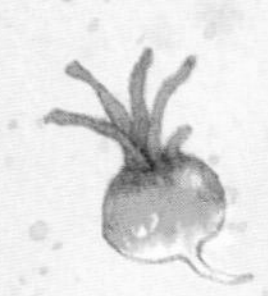

1) *Peler 6 bananes et les écraser à la fourchette dans un plat creux.*

2) *Presser les citrons et verser le jus sur la purée de bananes. Ajouter le sucre.*

3) *Bien mélanger.*

4) *Y mettre aussi le lait concentré.*

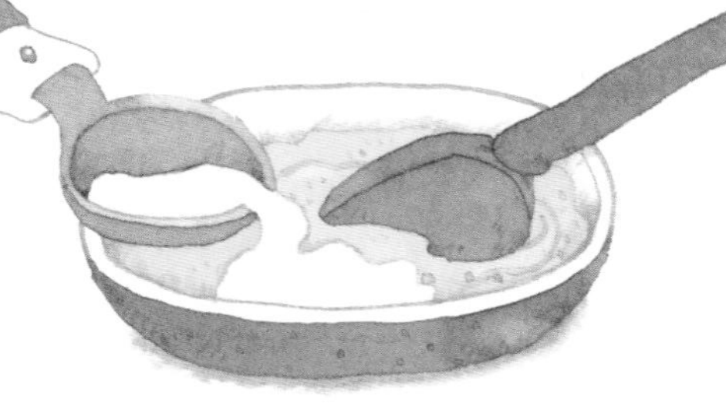

5) *Mélanger encore pour obtenir une crème un peu mousseuse.*

6) *La transvaser dans une boîte qui peut aller au freezer pendant au moins 6 heures.*

7) *Sortir la glace un peu avant de la manger.*

8) *Au moment de la goûter, la répartir dans de jolies coupes.*

9) *Peler et tailler la dernière banane en rondelles et en décorer les coupes.*

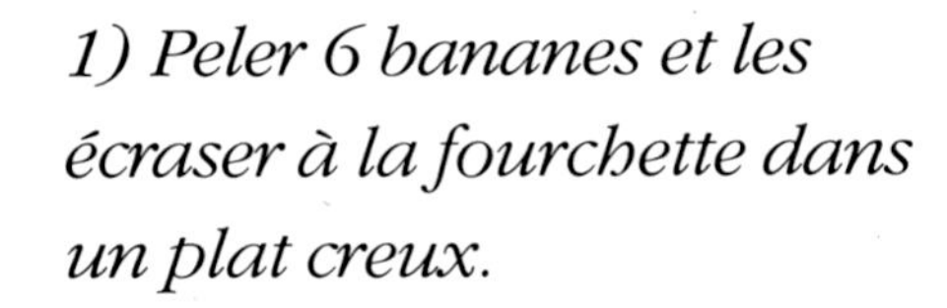

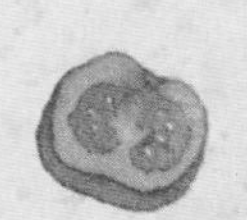

Le délice rouge de l'été

pour 4 personnes
et à réaliser 2 heures à l'avance :

400 g de fraises
1 bol de fruits rouges de saison
(cerises, framboises, groseilles)
4 grosses madeleines
4 pots de 125 g de crème à la vanille
4 coupes à dessert

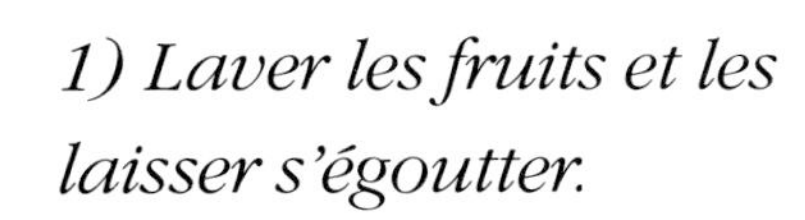

1) Laver les fruits et les laisser s'égoutter.

2) Égrener les groseilles, dénoyauter les cerises et ôter les queues.

3) Émietter très grossièrement les madeleines au fond des coupes (une par coupe).

4) Ouvrir les pots et brasser la crème à la cuillère pour la rendre lisse.

5) Répartir la crème dans les 4 coupes.

6) Équeuter les fraises, les poser sur la crème, au milieu de chaque coupe...

7) ... et tout autour, placer les cerises, les groseilles, les framboises.

8) Mettre le dessert 2 heures au frais avant de le déguster.

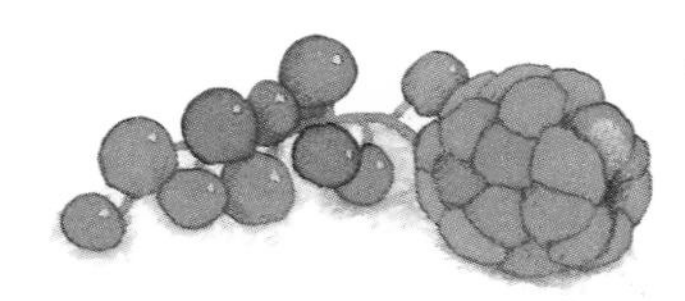

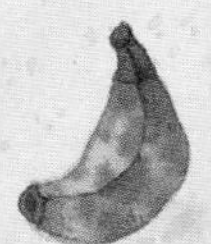

La salade aux croûtons

une salade estivale pour 4 personnes :

1 romaine ou 1 batavia
2 cuillerées à soupe d'huile
1 gousse d'ail pelée et hachée
3 tranches de pain de mie
1 cuillerée à soupe de jus de citron
3 cuillerées à soupe d'huile
du sel, du poivre
50 g de parmesan râpé

1) Éplucher la salade, la laver et l'égoutter.

2) Couper chaque feuille en 3 et les mettre dans un saladier.

3) Couper le pain de mie en dés.

4) Faire chauffer 2 cuillerées d'huile dans une poêle avec l'ail et les dés de pain.

5) Tourner avec une cuillère en bois ; les croûtons doivent être bien dorés.

6) Puis les verser sur du papier absorbant.

7) Dans un bol, battre le citron, les 3 cuillerées d'huile, le sel et le poivre.

8) Verser cette vinaigrette sur la salade et bien mélanger.

9) Ajouter les croûtons et saupoudrer avec le parmesan. C'est prêt !

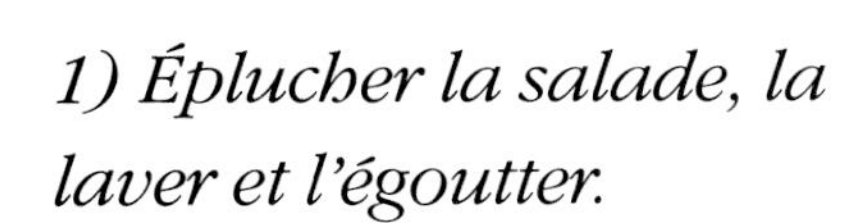

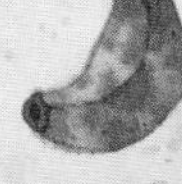

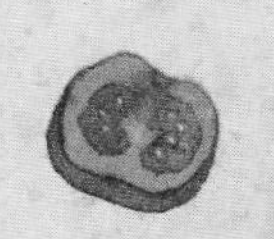

La mousse aux fraises

pour 4 personnes
et à déguster dès que c'est prêt :

4 blancs d'œufs
4 cuillerées à soupe de confiture de fraises
2 cuillerées à soupe rases de sucre en poudre
une douzaine de fraises

1) *Casser les œufs et faire couler les blancs dans une jatte. Ne pas jeter les jaunes, qui pourront servir à autre chose.*

2) *Battre les blancs en neige avec un fouet électrique.*

3) *En continuant de battre, ajouter peu à peu le sucre.*

4) *Puis la confiture.*

5) *Continuer de battre jusqu'à ce que le mélange soit bien ferme.*

6) *Verser cette mousse dans une grande coupe.*

7) *Laver les fraises, retirer les queues.*

8) *Puis les disposer joliment sur la mousse.*

Le frappé-musclé

pour 2 grands verres :

3,5 décilitres de lait frais
1 œuf entier
3 belles boules de glace à la vanille ou au caramel
un mixeur ou un batteur électrique
des pailles amusantes

1) Dans le bol du mixeur, verser le lait et casser l'œuf.

2) Bien fermer le couvercle et faire marcher le mixeur pour bien mélanger l'œuf et le lait, puis l'arrêter.

3) Ouvrir le couvercle et ajouter les 3 belles boules de glace choisies.

4) Refermer et mixer à nouveau.

5) Quand le mélange est bien lisse, arrêter le mixeur, verser aussitôt dans les verres. C'est prêt...

6) Si l'on n'a pas de mixeur, on peut utiliser un batteur électrique pour faire ce mélange. Il suffit de placer les ingrédients suivant l'ordre de la recette dans un bol creux et de battre tout ensemble.

À servir tout de suite !

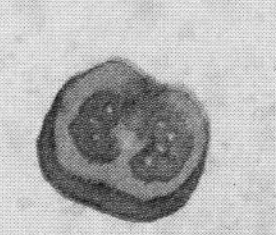

Les croûtes aux mûres

pour 4 cueilleurs de mûres :

250 g de mûres équeutées
4 tranches de pain de campagne rassis
80 g de beurre
80 g de sucre en poudre (pour le pain)
200 g de crème fraîche, froide
2 cuillerées à soupe rases de sucre

1) Laver les mûres et les laisser s'égoutter.

2) Avec la moitié du beurre, tartiner un côté des tranches de pain et saupoudrer de sucre.

3) Faire fondre le reste du beurre dans une grande poêle, à feu doux.

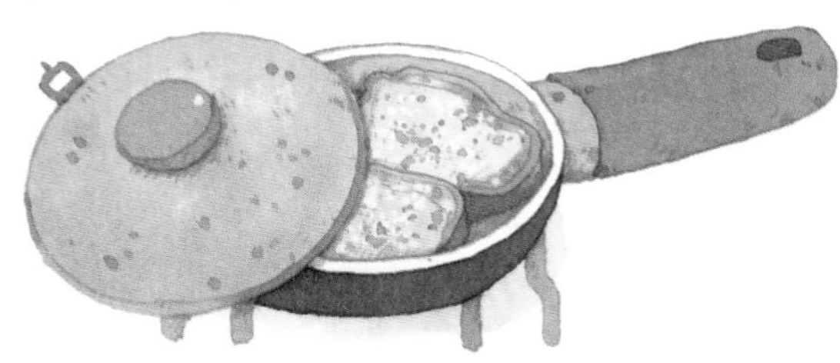

4) Y poser les tranches, le côté sucré dessus : mettre un couvercle et laisser cuire 10 minutes.

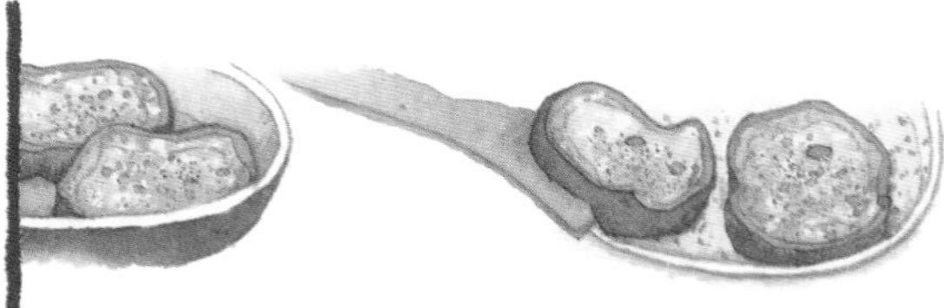

5) Puis retirer les croûtes de la poêle et ranger sur un plat.

6) Les laisser reposer 15 minutes.

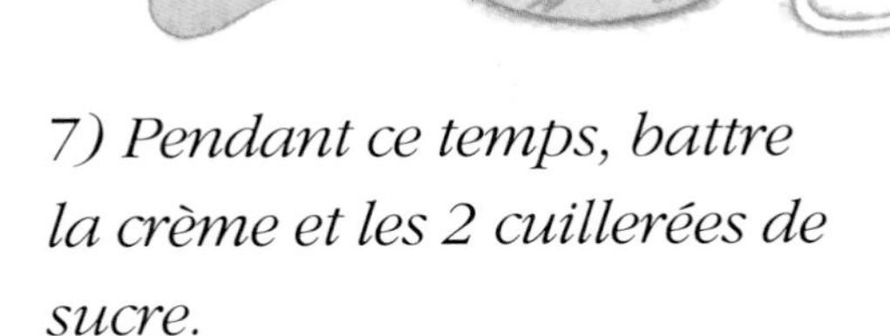

7) Pendant ce temps, battre la crème et les 2 cuillerées de sucre.

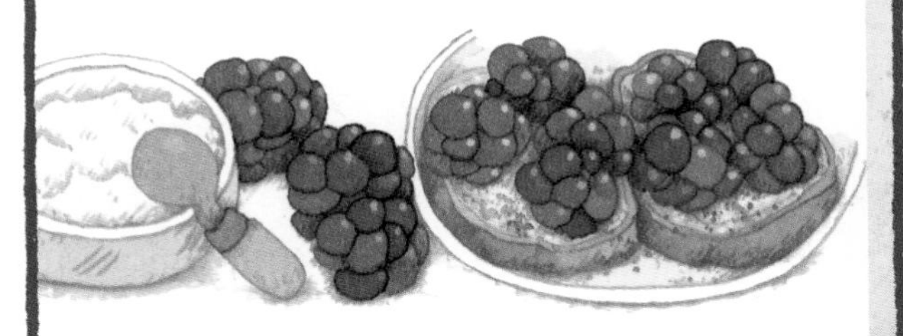

8) Les 15 minutes passées, décorer le dessus des croûtes avec les mûres.

9) Servir accompagnées de la crème fouettée.

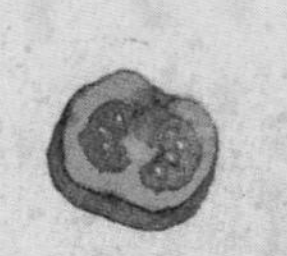

Les œufs-bananes

pour 4 personnes :

4 gros œufs
2 bananes tout juste mûres
1 cuillerée à soupe de jus de citron
1 petite boîte de sauce tomate
1/2 verre d'eau
50 g de gruyère râpé
un peu de beurre
un plat à gratin

1) Remplir une casserole d'eau avec les œufs dedans.

2) Faire bouillir l'eau, puis laisser durcir les œufs 15 minutes à petit feu.

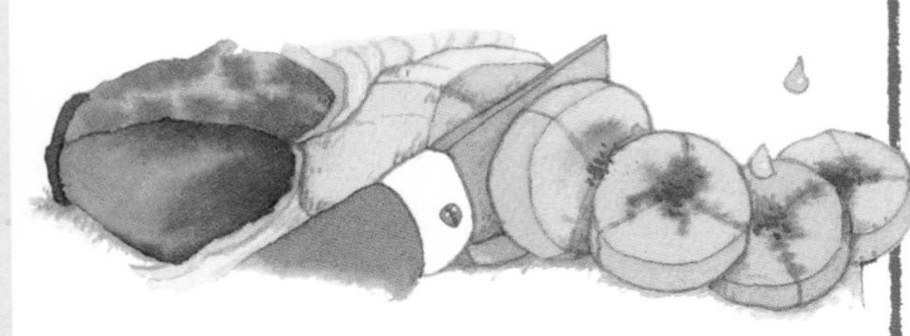

3) Pendant ce temps, peler les bananes, les couper en rondelles et arroser de citron.

4) Puis ouvrir la boîte et verser la sauce dans un bol ; ajouter l'eau et mélanger.

5) Quand les œufs sont cuits, les écaler. Les couper en rondelles.

6) Beurrer un peu le fond du plat et...

7) ... déposer dessus les rondelles d'œufs et de bananes.

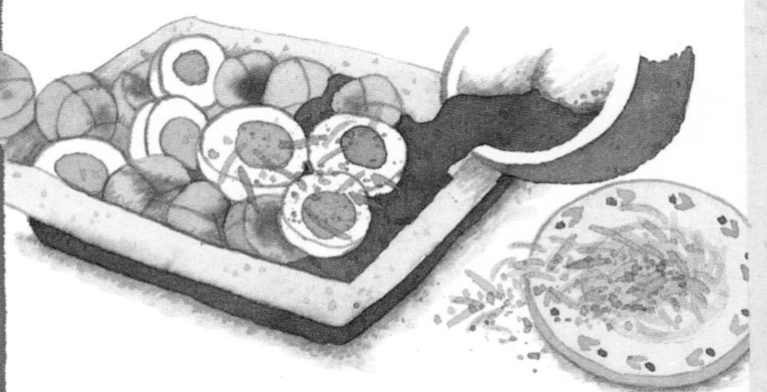

8) Verser la sauce tomate dessus et saupoudrer de gruyère râpé.

9) Passer le plat 5 minutes sous le gril bien chaud avant de le déguster.

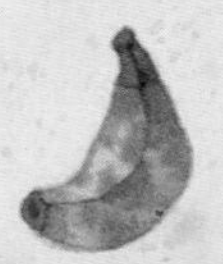
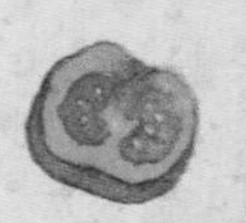

Le gâteau au chocolat

pour 10 tranches de gâteau
et à faire la veille :

300 g de chocolat noir
1 boîte de lait concentré non sucré de 170 g
300 g de petits-beurre
un sachet de 125 g de noisettes en poudre
un peu de beurre
des vermicelles au chocolat

1) Écraser petit à petit les petits-beurre dans un saladier avec le dos d'une cuillère à soupe pour obtenir des miettes grossières.

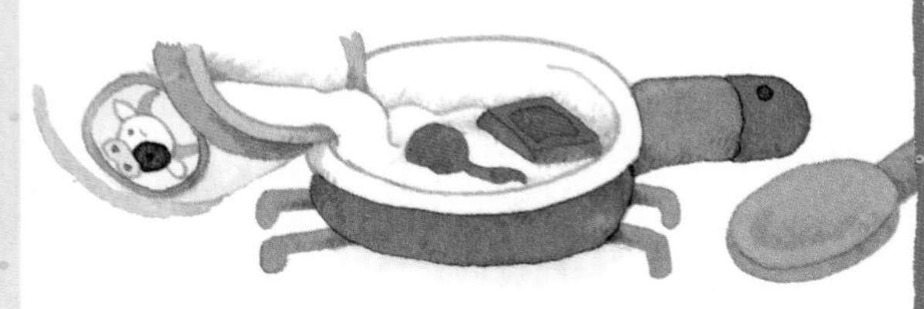

2) Faire fondre le chocolat à feu doux avec le lait concentré, puis mélanger.

3) Verser le chocolat fondu dans le saladier des biscuits...

4) ... et ajouter les noisettes en poudre. Bien mélanger.

5) Beurrer un petit moule à cake et y verser le mélange.

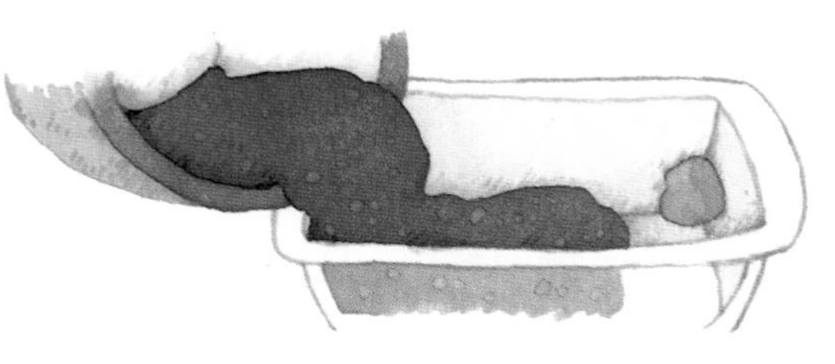

6) Laisser une nuit au réfrigérateur.

7) Le lendemain, poser le fond du moule dans de l'eau chaude et démouler le gâteau sur un plat.

8) Saupoudrer de vermicelles au chocolat, et couper en tranches.

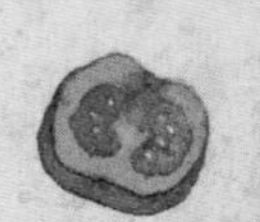

Les hamburgers aux noisettes

pour 4 personnes :

400 g de bifteck haché
100 g de jambon
4 jaunes d'œufs
100 g de noisettes en poudre
4 tranches carrées d'emmental
sel et poivre
un peu d'huile
8 belles feuilles de laitue lavées

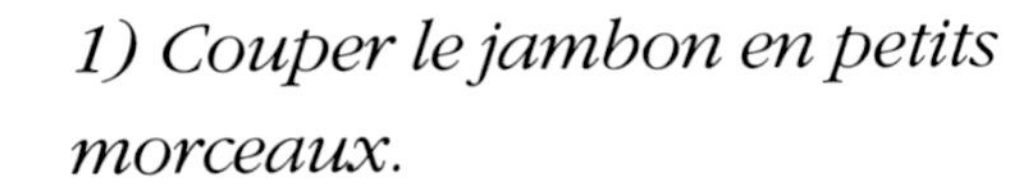

1) Couper le jambon en petits morceaux.

2) Prendre un saladier, y mettre le bifteck, le jambon, les noisettes et 4 jaunes d'œufs. Bien mélanger.

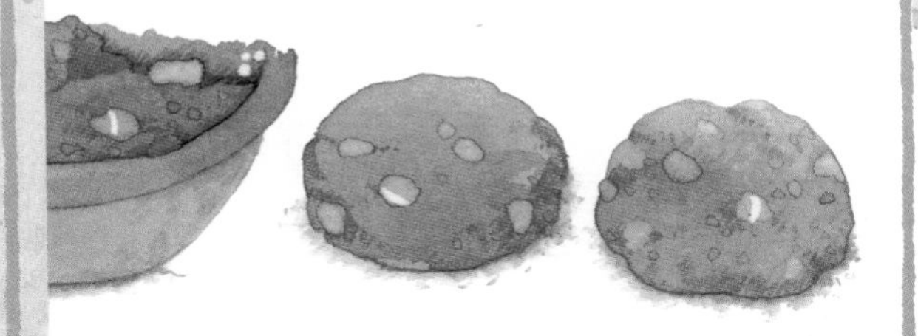

3) Diviser le mélange en 4 parts et former à la main 4 galettes aplaties : ce sont les hamburgers.

4) Prendre une grande poêle, y verser un peu d'huile. Faire cuire les hamburgers...

5) ... d'abord 3 minutes sur un côté. Puis, saler et poivrer.

6) Retourner les hamburgers et poser sur chacun une tranche d'emmental. Laisser cuire encore 3 minutes.

7) Pendant ce temps, disposer 2 feuilles de laitue par assiette...

8) ... et quand c'est cuit, placer un hamburger sur chaque assiette. Voilà, c'est prêt !

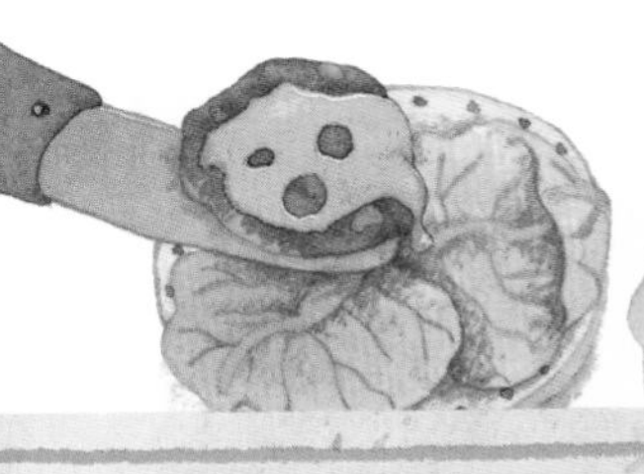
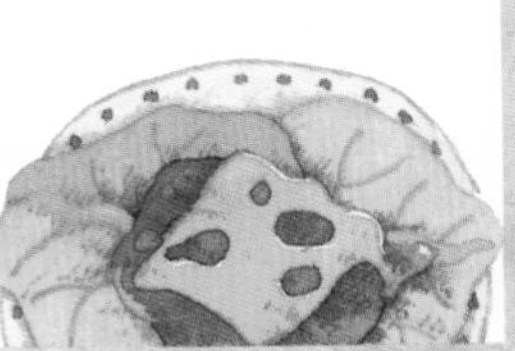

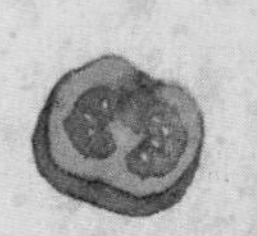

La petite terrine de thon

pour 8 personnes et à faire au moins
3 heures à l'avance :

2 avocats bien mûrs
1/2 jus de citron, sel, poivre
300 g de thon au naturel en boîte
30 g de beurre un peu fondu
1 cuillerée à soupe de moutarde
1 citron vert
1 petite terrine ou un petit plat à bords hauts
des toasts grillés

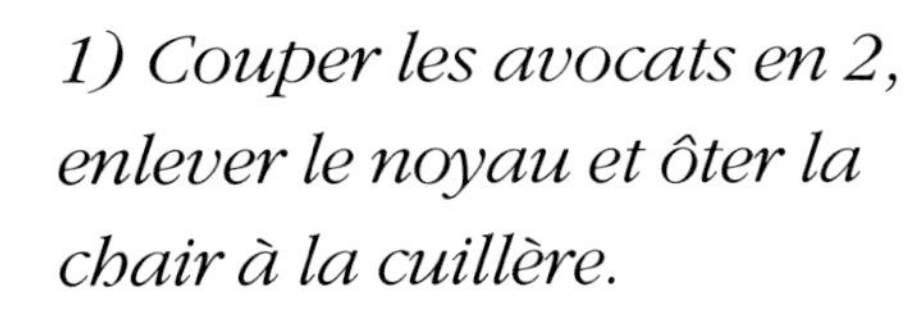

1) Couper les avocats en 2, enlever le noyau et ôter la chair à la cuillère.

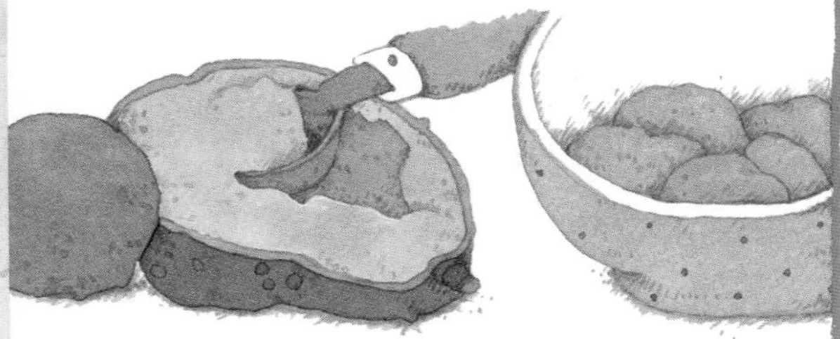

2) À l'aide d'un mixeur, réduire le jus de citron et les avocats en purée.

3) Ajouter la moutarde, le beurre, du sel, du poivre et malaxer à nouveau.

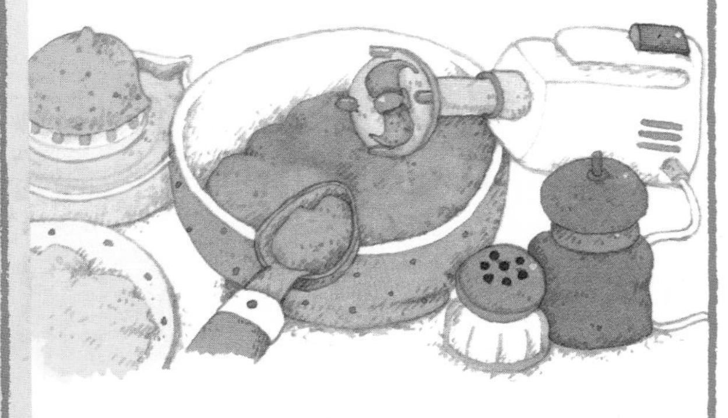

4) Ouvrir la boîte de thon et l'égoutter.

5) Écraser grossièrement le thon à la fourchette.

6) Bien mélanger à la purée d'avocats.

7) Puis verser le tout dans la terrine. Décorer de fines tranches de citron vert.

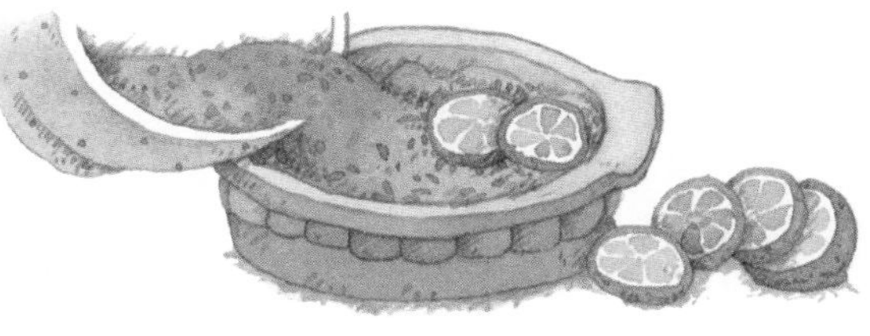

8) Couvrir la terrine et la mettre au réfrigérateur.

9) La sortir un peu avant de la savourer avec des toasts, grillés au dernier moment.

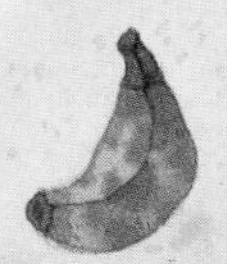
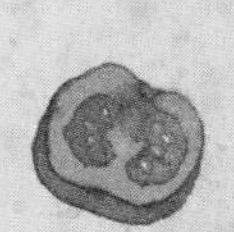

Le lait à la cuillère

pour 4 personnes :

1/2 litre de lait
4 grosses pommes
3 cuillerées à soupe de lait en poudre
3 cuillerées à soupe de sucre en poudre
8 petits-beurre
et un mixeur

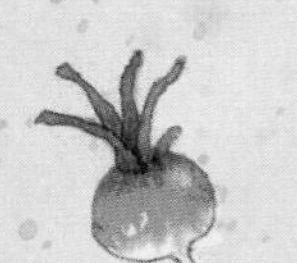

1) Peler les pommes, les couper en 4, ôter le cœur et les pépins.

2) Mettre les quartiers de pommes dans le bol du mixeur.

3) Y ajouter le sucre, le lait en poudre, les biscuits en morceaux...

4) ... puis verser le lait.

5) Fermer le bol du mixeur avec son couvercle.

6) Brancher et utiliser le mixeur.

7) Quand le mélange est homogène,

8) le verser dans une jatte et mettre au frais jusqu'au moment de le manger.

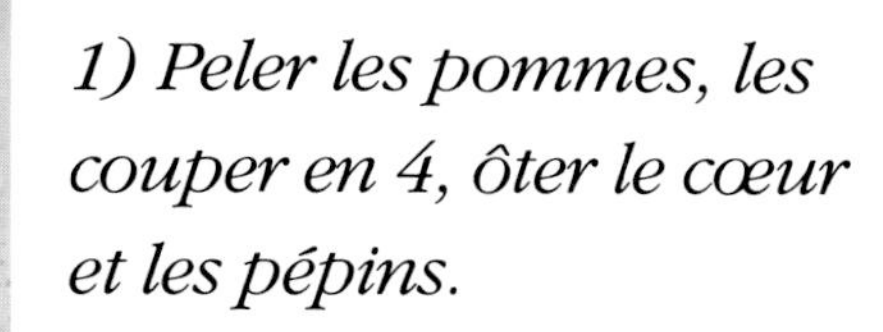

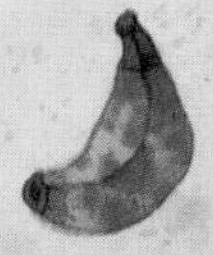

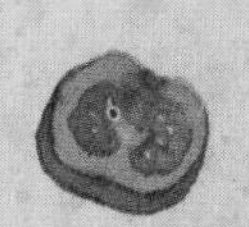

La bûche de Noël

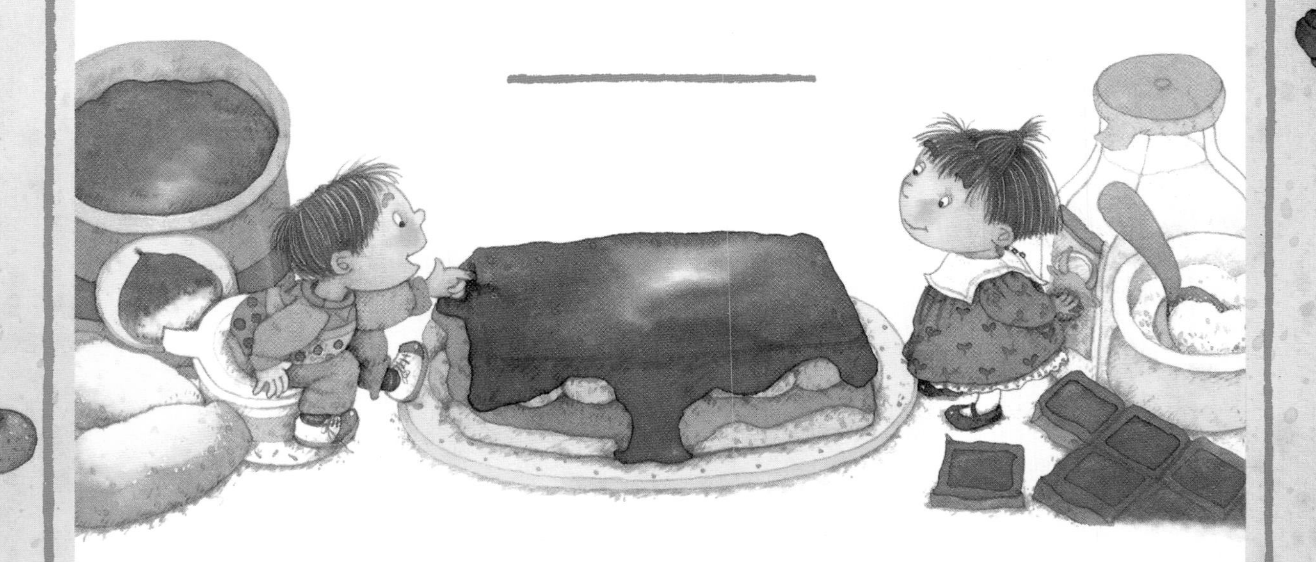

pour 4 gourmands et à faire la veille :

18 biscuits à la cuiller
350 g de crème de marrons (déjà sucrée)
230 g de crème fraîche épaisse
10 cuillerées à soupe de lait
50 g de sucre en poudre
100 g de chocolat noir
un moule à cake beurré

1) Mélanger la crème de marrons et 150 g de crème fraîche dans un saladier.

2) Faire dissoudre le sucre dans une assiette creuse avec le lait froid.

3) Y tremper les biscuits des 2 côtés et en ranger la moitié dans le moule, en les pressant un peu.

4) Verser dessus la crème aux marrons puis poser le reste de biscuits trempés.

5) Mettre le moule au freezer pour une nuit.

6) Le lendemain, faire fondre à feu doux le chocolat en morceaux et 80 g de crème.

7) Tremper le fond du moule dans de l'eau chaude et démouler la bûche sur un plat.

8) Étaler dessus le chocolat fondu avec la lame d'un couteau, et remettre un peu au frais.

Éditions Lito
41, rue de Verdun - 94500 Champigny-sur-Marne
Imprimé en Italie
Dépôt légal: avril 1993